이 책을 어머니에게 바칩니다.

레미 쿠르종 지음
학교 다닐 때 선생님의 모습을 재미있는 그림으로 그려 친구들에게 인기가 많았던 레미 쿠르종은 대학에서 미술을 공부하고 한동안 광고 분야에서 일했습니다. 여행을 다니면서 그림을 그리기도 하고, 어린이를 위한 책도 많이 썼습니다. 최근에는 세 아이, 초콜릿 무스 그릇, 토끼 고기 요리, 배영, 자전거, 스쿠터, 낮잠, 블로그, 모바일 기기에 관심이 많아졌습니다. 요즘은 초상화를 열심히 그리고 있답니다. 우리나라에 나온 책으로는 『레오틴의 긴 머리』, 『3일 더 사는 선물』, 『진짜 투명인간』, 『수다쟁이 물고기』 등이 있습니다.

권지현 옮김
고등학교를 졸업할 무렵부터 번역가의 꿈을 키웠습니다. 그래서 서울과 파리에서 번역을 전문으로 가르치는 학교에 다녔고, 학교를 졸업한 뒤에는 번역을 하면서 번역가가 되고 싶은 학생들을 가르치고 있습니다. 귀여운 조카들을 생각하며 외국 어린이 책을 소개하고 우리말로 옮기는 데 큰 즐거움을 느낀답니다. 그동안 옮긴 책으로는 『아나톨의 작은 냄비』, 『그녀를 위해서라면 브로콜리라도 먹겠어요!』, 『세상을 뒤집어 봐!』, 『어느 날 길에서 작은 선을 주웠어요』, 『별이 빛나는 크리스마스』, 『수다쟁이 물고기』, 『뉴욕 코끼리』, 『내 손끝 작은 구멍』 등이 있습니다.

레미 쿠르종 지음 · 권지현 옮김

말라깽이 챔피언

씨드북

여자아이의 이름은 파블리나였어요.
예쁜 이름이죠?
하지만 가족들은 소녀를
말라깽이라고 불렀어요.
파블리나의 집에는
남자들밖에 없었어요.
어깨가 떡 벌어진
튼튼한 오빠들 곁에서
파블리나는 더 말라 보였지요.

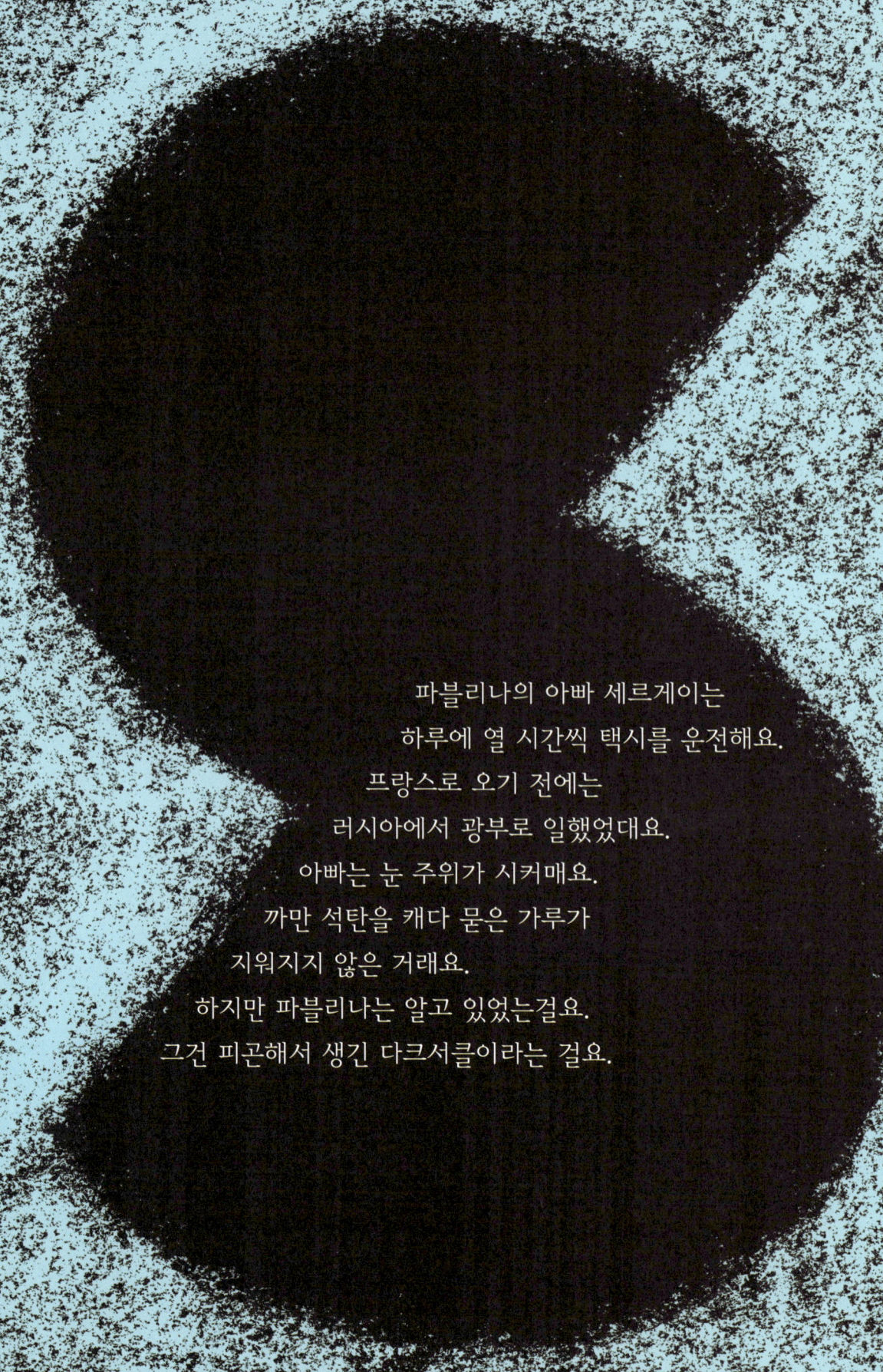

파블리나의 아빠 세르게이는
하루에 열 시간씩 택시를 운전해요.
프랑스로 오기 전에는
러시아에서 광부로 일했었대요.
아빠는 눈 주위가 시커매요.
까만 석탄을 캐다 묻은 가루가
지워지지 않은 거래요.
하지만 파블리나는 알고 있었는걸요.
그건 피곤해서 생긴 다크서클이라는 걸요.

큰오빠 올레그는
축구에 빠져 있어요.
하루 종일 축구만 생각하고
축구에 대해서만 떠들어요.
밤이 되면
축구 꿈을 꾸며 잠들지요.
덕분에 나머지 가족은
편히 쉴 수 있어요.

둘째 오빠 보리스는
언제나 배가 고파요.
올레그 형이
먹보 공룡이라고
별명을 붙여 주자
보리스는 형에게
펀치를 날렸어요.

막내오빠 블라드는
하루의 절반을 자전거 위에서,
나머지 절반은 컴퓨터 앞에서 보내요.
말이 없는 블라드는
시간을 아끼려고 매일 노력해요.
학교까지 출발! 빨리빨리!
수학 문제 풀기! 빨리빨리!
게임 시작! 빨리빨리!

이렇게 무성한 가족 나무의
가지 끝에는……
맞아요!
막내 여동생
파블리나가 있어요.

집에 남자가 많으면
막내 여동생이
귀여움을 독차지하겠지요?
하지만 파블리나는
그러지 못했어요.
파블리나는
피아노 앞에서만
숨을 쉴 수 있었어요.
오빠들은 힘 쓰는
내기를 해서 집안일
당번을 정했어요.
파블리나는 오기로
버텼지만 늘 지기만 했어요.
설거지와 다림질은
언제나 파블리나
차지가 되었지요.

어느 날 아빠는 파블리나의
한쪽 눈덩이가 퍼렇게 멍든 걸 보았어요.
파블리나는 누가 그랬는지
끝내 털어놓지 않았어요.
사실은…… 오빠들이 레슬링으로
저녁 당번을 정하자고 했거든요.
그날, 파블리나는 아빠에게
피아노 대신 권투를 배우겠다고 말했어요.
오빠들이 키득거리자
아빠는 쉿! 하고 오빠들을 조용히 시키고
파블리나에게 그럴 수 없다고 했지요.
하지만 소용없었어요.
파블리나는 마음을 바꾸지 않을 거예요.

"폴짝폴짝 뛰어 봐!"
코치 선생님이 낄낄 웃으며 말했어요.
"줄넘기는 계집애 놀이잖아?"
그러자 줄넘기 줄이 코치 선생님의
얼굴 바로 앞을 쌩 하고 지나갔어요.
선생님 코가 납작해서 정말 다행이었지요.
코치 선생님은 정신이 번쩍 들었어요.

파블리나는 왼쪽 주먹이 강했어요.
왼손잡이 선수라면 언제나 환영이었어요.
그게 여자애라도 말이에요.

파블리나의 훈련이 시작되었어요.

파블리나는
몇 주 동안 계속해서
오빠들을 이겼어요.

집안일이 줄자 훈련을 더 할 수 있었지요.
훈련을 더 하자 오빠들을 더 많이 이길 수 있었고
집안일은 더 줄어들었지요.
파블리나는 강력한 왼쪽 펀치에 자신감이 붙었답니다.
둘째 오빠를 먹보 공룡이라고 부르기도 했으니까요.
덕분에 코치 선생님이 하라고 한 달리기 연습을
마음껏 할 수 있었어요.

어느 날 저녁 아빠가 부탁했어요.
"말라깽이!
모차르트 좀 연주해 봐."
파블리나는 피아노 앞에 앉았지요.
그런데 건반 위에 손을 올린 순간,
빨갛게 부은 손가락이 보였어요.
파블리나는 갑자기 피아노
뚜껑을 쾅 닫고 말했어요.
"내 이름은 파블리나야! 파블리나!"
그리고 방으로 들어가 버렸어요.

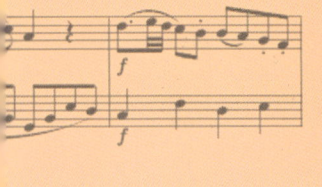

파블리나는
아직 어리지만
여자가 되면
권투를 할 때
가슴을 천으로 싸매서
보호해야 한다는 걸
알고 있었어요.
파블리나에게도
그런 날이 올까요?

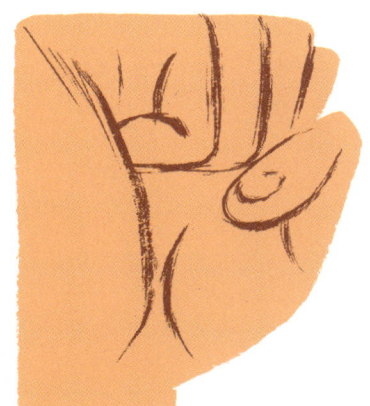

"다음 달에 시합이 있어."
코치 선생님이 말했어요.
"이제 시합에 나가도 되겠구나."
집으로 돌아온 파블리나는
웃어야 할지 울어야 할지 몰랐어요.
무서워서 가슴이 꽉꽉 막혔어요.
그러면서도 마음속에서
도전해야겠다는 생각이 떠나지 않았어요.
소식을 들은 오빠들은 신경도 쓰지 않았어요.
아빠만 물었지요.
"정말 나가고 싶니?"
아빠는 파블리나의 대답을 이미 알고 있었어요.

시합 전날 파블리나는
훈련을 쉬기로 했어요.
집에는 아무도 없었지요.
파블리나는 두려움을 없애려고
피아노 앞에 앉았어요.

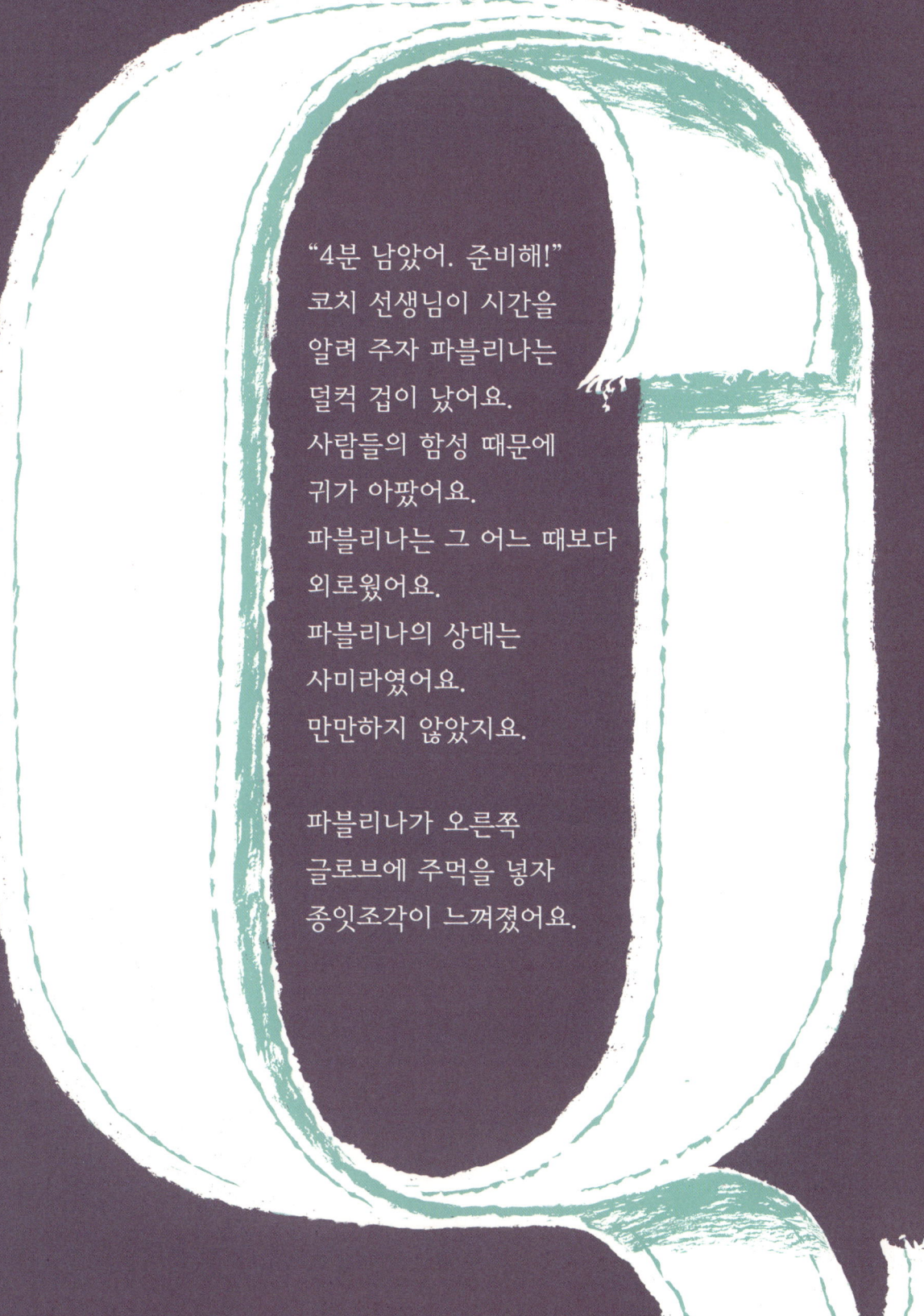

"4분 남았어. 준비해!"
코치 선생님이 시간을
알려 주자 파블리나는
덜컥 겁이 났어요.
사람들의 함성 때문에
귀가 아팠어요.
파블리나는 그 어느 때보다
외로웠어요.
파블리나의 상대는
사미라였어요.
만만하지 않았지요.

파블리나가 오른쪽
글로브에 주먹을 넣자
종잇조각이 느껴졌어요.

본때를 보여 줘! —올레그 오빠가.
네가 최고야! —블라드 오빠가.
누구든 네 머리카락 한 올이라도 건드리면
내가 가만두지 않을 거야! —먹보 공룡 오빠가.

파블리나는 쪽지를 다시 글로브 속에 넣고 끈을 조였어요.
왼쪽 글로브에는 엄마 사진이 들어 있었어요.
사진 뒤에는 이렇게 적혀 있었지요.

파블리나, 우리 모두 널 응원해! —아빠가.

파블리나가 시합에서 이겼어요!

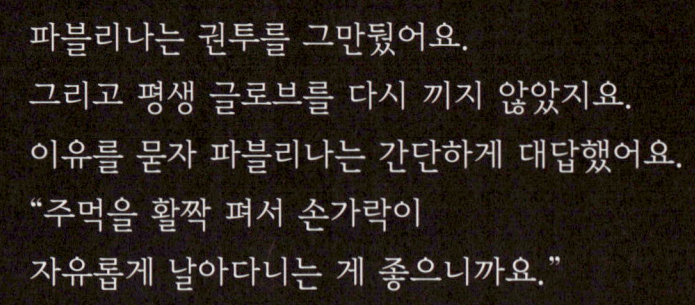

파블리나는 권투를 그만뒀어요.
그리고 평생 글로브를 다시 끼지 않았지요.
이유를 묻자 파블리나는 간단하게 대답했어요.
"주먹을 활짝 펴서 손가락이
자유롭게 날아다니는 게 좋으니까요."

말라깽이 챔피언

1판 1쇄 발행 2016년 9월 29일
1판 2쇄 인쇄 2017년 2월 19일

글쓴이 레미 쿠르종
옮긴이 권지현
펴낸이 남영하

편집 길상효 이예은 **디자인** 박규리 **마케팅** 주영상

종이 세종페이퍼 **인쇄** 미광원색사 **제본** 신안문화사

펴낸곳 ㈜씨드북 **등록** 제2012-000402호
주소 03997 서울 마포구 월드컵로 16길 52-23
전화 02) 739-1666 **팩스** 0303) 0947-4884
홈페이지 www.seedbook.kr **전자우편** seedbook009@naver.com
인스타그램 instagram.com/seedbook_publisher
페이스북 facebook.com/seedbook.kr **카카오스토리** story.kakao.com/seedbook

ISBN 979-11-85751-70-2 77860

제품명: 말라깽이 챔피언 **제조자명**: ㈜씨드북
주소: 서울시 마포구 월드컵로 16길 52-23 **전화번호**: 02-739-1666
제조국명: 대한민국 **제조년월**: 2017년 2월 **사용연령**: 6세 이상

KC마크는 이 제품이 공통안전기준에 적합하였음을 의미합니다.
⚠ 주의: 종이에 베이지 않게 주의하세요.

책값은 뒤표지에 있습니다. 잘못 만들어진 책은 구입하신 서점에서 바꾸어 드립니다.

이 도서의 국립중앙도서관 출판예정도서목록(CIP)은 서지정보유통지원시스템 홈페이지(http://seoji.nl.go.kr)와
국가자료공동목록시스템(http://www.nl.go.kr/kolisnet)에서 이용하실 수 있습니다.
(CIP제어번호: CIP2016021915)

SEED MAUM
㈜씨드북의 뉴스레터 SEED MAUM을 구독하시면 다양한 신간 정보와
독자 여러분을 위해 준비한 특별한 콘텐츠들을 받아 보실 수 있으며,
구독자만을 위한 각종 이벤트에도 참여하실 수 있습니다.

http://bit.ly/2jF0Jlv

Brindille © Editions Milan, France, 2012
Korean translation copyrights © Seedbook Co. Ltd., 2016
This Korean edition is published by arrangement with Editions Milan
through Sibylle Books Literary Agency, Seoul

이 책의 한국어판 저작권은 시빌에이전시를 통해 프랑스 Milan 출판사와
독점 계약한 ㈜씨드북에 있습니다. 저작권법에 의하여 한국 내에서
보호를 받는 저작물이므로 무단 전재와 무단 복제를 금합니다.